JN096554

THIS IS YOUR TIME

ルビーの一歩

私たちすべての問題

ルビー・ブリッジズ　千葉茂樹 訳

この「平和の手紙」を、
米国下院議員で公民権運動の象徴的活動家だった
ジョン・ルイス氏（1940年〜2020年）に賞賛をこめてささげます。
ルイス氏は「議会の良心」として知られ、
まぎれもなく「愛がうみだした魂」の持ち主でした。
わたしたちの善き献身的なしもべであったあなたは、
みごとにその役割を果たされました。
松明はひきわたされたのです！
平和をきずくために活動する世界中の若いみなさん、
わたしたちには、まだまだたくさんの仕事がのこされています。

平和のために活動する若者たちへ

　いまから60年前の1960年を境に、わたしの人生は大きく変わってしまいました。そのときのわたしにはわかっていなかったのですが、そのころ、アメリカという国もまた、大きく変わりはじめていたのでした。

　そのとき6歳だったわたしは、現在みなさんが感じているのとおなじような、大きな大きな不安を感じていました。

　わたしは、地元のニューオーリンズにあるウィリアム・フランツ小学校に入学することになったのですが、そこは白人だけが通う学校でした。その学校に、はじめて入学するただひとりの黒人の生徒に選ばれたのです。

そのときのわたしには、それが歴史の教科書にのるようなことだとは、ぜんぜんわかっていませんでした。

1954年、アメリカの最高裁は、「ブラウン対教育委員会裁判」において、学校での人種分離政策を違憲とする判決を下した

1年生のあいだずっと、学校への行き帰りには、4人の連邦保安官が護衛にあたっていました。多くの人がわたしの身の安全を心配したため、大統領が指示をだしたのです。

1960年11月、ウィリアム・フランツ小学校からでてきたルビー・ブリッジズを護衛する連邦保安官

毎日毎日、登校するときも下校するときも、人ごみの
なかを歩いて通りぬけなければなりませんでした。たっ
た6歳だったわたしにむかって、どなり、さけび、おどし、
ものを投げつける人びとのなかを、です。
　その人たちは、黒人と白人の子どもがおなじ学校へ通
うことに反対だったのです。
　1年生になったら新しい友だちができると、とても楽
しみにしていたのですが、わたしをまっていたのは、思
いもしなかったおそろしいことばかりでした。

ルビーの学校のそとで毎日まちかまえて、いかりをぶつける人種分離主義者たち
（1960年）

護衛が必要なのは、両親にもわかっていました。それでも、わたしの登下校に連邦保安官の護衛がつくことに同意するのは、かんたんな判断ではありませんでした。特に父にとっては。

　わたしの父は、ほかの多くのお父さんとおなじように、小さな娘を自分で守りたいと思っていました。しかし、娘を学校に送り迎えするというあたりまえのことすらも、若い黒人である父にとっては、危険だったのです。

登校初日、学校の入り口の両脇を警官が警護した（1960年）

父はわたしのことを心の底から愛してくれました。父
はわたしのヒーローでした。

ルビーと父、アーボン・ブリッジズ(1960年)

父は、アメリカにとっても本物のヒーローでした。出兵した朝鮮戦争で傷を負い、勇敢な兵士の証として、パープルハート章を授けられています。しかし、帰還した父は、ヒーローとしての歓迎をうけていません。当時の若い黒人の多くがそうであったように、父にもほとんど仕事がなかったのです。

軍服姿の朝鮮戦争の復員兵、ルビーの父

白人だけの学校に通いはじめた最初の日、白人の親た
ちが駆けつけて、自分の子どもをつれかえってしまいま
した。自分の子どもを、わたしといっしょに通わせたく
なかったから。

　でも、どうして？

　わたしにはわかりませんでした。その人たちは、それ
までに一度もわたしと会ったことはありません。なのに、
わたしがどんな人間なのかを、どのように知ったという
のでしょう？

　でも、どんな人間なのかはどうでもよかったのです。
その人たちは、わたしをひとりの子どもとしてさえ見て
いなかったのだと思います。見ていたのは、ただわたし
の肌の色だけ。

　わたしは黒人です。ただそれだけで、わたしをなんの
価値もない人間と判断していたのです。

　その学校では、やめてしまった教師も何人かいました。
黒人の子どもに教えたくないという理由で。

ウィリアム・フランツ小学校の前で、棺におさめた黒人の人形をかかげ、人種統
合に抗議する親たち（1960年）

担任のバーバラ・ヘンリー先生は、わたしに教えるために、わざわざ2,200キロもはなれたボストンからやってきました。

まるまる1年のあいだ、先生はほかにはだれもいない教室で、一対一で必要なことをすべて教えてくれました。先生のおかげで学校は楽しい場所になりました。

わたしも先生も、1年間、一度も休みませんでした。わたしたちはふたりとも、おたがいのために、学校を休むわけにはいかないと思っていたのです。

ルビーと担任のバーバラ・ヘンリー。学校は人種分離をやめたものの、白人の親たちは、わが子がルビーとおなじ教室で学ぶことを拒絶した(1960年)

ルビーの一歩

19

わたしが安心して学校に通えたのも、だいじにされて
いると思えたのも、ヘンリー先生のおかげでした。先生
の見た目は、学校のそとでいかりに満ちたさけび声をあ
げている女の人たちと、そっくりおなじだったのに。

　でも、内面はまったくちがっていました。先生は心と
心でつきあってくれました。たった6歳だったわたしに
も、ちがいはわかっていました。バーバラ・ヘンリー先
生は白人で、わたしは黒人。でも、わたしたちにとって
は、おたがいがだいじな存在でした。

　先生はわたしの親友になりました。学校のそとに集
まったおこっている人たちのあいだを、なんとか通りす
ぎて教室にはいりさえすれば、たのしい1日をすごせる
ことが、わたしにはわかっていました。

ウィリアム・フランツ小学校に設置された、ルビーの名誉を称える彫像の除幕式
で再会した、ルビーとバーバラ・ヘンリー(2014年)

しかし、教室のそとの世界は、暴力(ぼうりょく)に満ちていました。のちに知ったことですが、その場にいた群衆(ぐんしゅう)のだれもが、ただただわたしの肌(はだ)の色を理由に、わたしを憎(にく)んでいたのです。

上：ウィリアム・フランツ小学校に集まり抗議(こうぎ)する人びと(1960年)
下：警官(けいかん)によって散開させられるウィリアム・フランツ小学校のそとに集まった
ティーンエイジャーたち(1960年)

わたしはマーティン・ルーサー・キング・ジュニア牧師の教えについて、何度も何度も思いをめぐらせました。「肌の色ではなく、人格そのものによってその人を判断してください」という、キング牧師の命がけの教えについてです。

　学校のそとに集まった人たちは、キング牧師の教えには、まったく賛成できないようでした。

1963年8月28日のワシントン大行進で、公民権運動のリーダーたちと行進するキング牧師（前列右から3人目、右手をあげている）

その当時、おとなたちはいいました。黒人がほんとう
に変化を見たいと思うなら、みずから立ち上がって、自
分たち自身で行動を起こすべきだと。だれかが先陣を切
らなければいけないのだと。

　しかし、わたしが先陣を切ったせいで、父は職をうし
ないました。

NO DOGS NEGROES MEXICANS

LONE STAR RESTAURANT ASSN.
Dallas, Texas

REST ROOMS
WHITE   COLORED

L & N

COLORED
SEATED IN REAR

The PRESENCE OF SEGREGATION IS The ABSENCE OF DEMOCRACY JIM CROW MUST GO!

NATIONAL HEADQUARTERS
MARCH ON WASHINGTON FOR JOBS & FREEDOM
WED. AUG. 28

これまで、25年以上にわたって、わたしはアメリカ国内だけではなく世界中をめぐり歩き、学校でのミーティングに参加するなど、たくさんの人と出会う栄誉えいよにめぐまれてきました。

　直接ちょくせつ会って会話をかわすなかで、たくさんの純粋無垢じゅんすいむくな魂たましいや愛情あいじょう、敬意けいいややさしさ、そしてときには悲しみにも出会ってきました。

世界中の学校で講義こうぎをするルビー・ブリッジズ

かつて出会った、幼いメーガンを忘れることができません。メーガンはわたしのことを、勇敢な、本物のヒーローだといってくれました。わたしのように、自分も勇敢になりたいのだといっていました。なぜなら、お父さんに虐待されるお母さんを守るために、助けを求める勇気が必要だというのです。

　メーガンは悲しみのただなかにありながら、真の勇気を持っていました。

社会正義を求める運動のなかで、子どもたちは長きにわたって重要な役割をになってきた。1950年代終わりごろの抗議活動のようす。「子どもは自由じゃない。すべての人間が自由になるまでは」

また、幼いライアンのことも忘れられません。

　ライアンは、わたしたち人間がみんなおなじだということを、子犬のレックスをたとえに説明してくれました。

　ゴールデンレトリーバーのレックスは、強くて、走るのが速く、すばらしい芸もたくさんできます。ライアンはレックスが大好きです。

　ライアンにはジミーという大の親友がいて、ジミーはコリーを飼っています。黒い毛に白い斑点がある犬です。

　ジミーの犬は、レックスほど速くは走れませんが、賢さではうわまわっています。そして、ジミーもこの犬が大好きです。

　そう、2頭の犬はそれぞれちがっていますが、どちらも愛されているのです。どちらも犬であることにかわりはありません。

　ライアンは、愛情と敬意について、とても正しく理解していると思います。

世界中で、子どもたちが変化を望む声をあげはじめた
左上：「声なき声に耳をかたむけて」　右上：「ブラック・ライブズ・マター」
下：「差別主義を終わらせて」

32

ヴァエという女の子は、わたしたちはみんな、ふくろのなかのM＆Mのチョコレートのようだといいました。外側の色はちがっていても中身はおなじなのです。

　M＆Mのチョコレートは大好きでしょ？

若いあなたがたの目を見つめたとき、そこに憎しみや偏見を見出したことは一度もありません。

　容姿や出身地などいっさい関係なく、みなさんの目のおくには、6歳だったときのわたし自身が見える気がします。みなさんは、おたがいの肌の色など気にしていません。わたしはそこに希望を見て、とてもうれしくなります。

　ほとんどの人は、希望を目にする機会にはなかなかめぐりあえません。わたしはたくさんの希望を見ることができて、感謝の気持ちでいっぱいです。

「ブラック・ライブズ・マター」運動の高まりにつれて、より多くの子どもたちがデモに参加するようになった。2020年6月にオランダでおこなわれたデモのようす

わたしは長年、差別主義はおとなの病気であり、この病が子どもたちにひろがるのを食い止めるのは、わたしたちおとなの仕事だという信念を語ってきました。

　この世に、差別主義者として生まれてきた人間などひとりとしていません。差別主義をひろめてきたのは、わたしたちおとなです。わたしたちおとなは、さまざまな場面で、あなたがた子どもに、いいお手本をしめすことができませんでした。

　子どもたちを導き、教え、最高のお手本をしめすのは、わたしたちおとなの役割なのだと、わたしはあらためて、確信しています。

明るい未来を願う、アメリカの若き平和運動家たち
上：「黒人の子どももだいじに」
下：「正義を」

わたしは長年、世界でくりひろげられているできごと
を見つめてきましたが、特に2020年5月以降、若者たち
の力強さと、逆境をはねのける力に強い感銘を受けてい
ます。

　黒人に対して何度も何度もくりかえされるおそろしい
暴力には、深く心を痛めています。

上：アラバマ州バーミングハムで抗議活動をする若いアフリカ系アメリカ人にむ
けられた放水砲（1963年）
下：警官が拘束時にジョージ・フロイドの首をひざで圧迫しつづけて殺害した
事件は世界中の人びとのいかりに火をつけた。この写真は、抗議活動の参加者へ
催涙スプレーをあびせる警官（2020年）

わたしの心は悲しみでいっぱいです。わたしたちが生きているいまの時代の現実（げんじつ）を、よく知っているからです。

　わたしは肌（はだ）の黒い4人の息子を持つ黒人です。わたしの長男クレイグは殺（ころ）されました。

ルビーの息子（むすこ）クレイグ・ホールとその家族（1996年）
クレイグは2005年にニューオーリンズで起こった銃の乱射事件（じゅう　らんしゃじけん）で命を落とした

何歳で死んだかにかかわらず、自分の子どもをうしなうことは、両親にとって悪夢です。このような喪失は、家族をバラバラにしてしまいます。

　家族をうしなったすべての黒人のみなさんのことが、気にかかってしかたありません。わたしには、あなたの痛みがわかります。家族にとってはどの命にも意味があり、目的があります。とてもとてもだいじな命なのです。

警察官に拘束されて移送中に負傷し、留置場で死んだフレディ・グレイの葬式で悲しむ家族たち（2015年）

自由と勇者たちの国アメリカが、どれほど偉大になれるのかを思うとき、わたしは偉大であることについて語ったキング牧師のことばを思い浮かべます。

「人はだれもが偉大になれます。なぜなら、人はだれもが、だれかのためにつくすことができるからです」

キング牧師の精神は、平和と正義のために働くすべての人びとをはげましつづけている

キング牧師はさらにつづけます。

「あなたに必要なのは、やさしさに満ちた心だけです」

　世界を癒やすのは、愛しあい、いたわりあう心です。

　愛しあい、いたわりあう心があれば、おたがいを兄弟姉妹のように思うことができるのです。

　愛しあい、いたわりあう心があれば、わたしたちひとりひとりが持つ独自の個性に、敬意をはらうことができます。

　また、わたしたちをつまずかせる路上の石を、大きく踏みだすための踏石に変えることもできます。

大規模に広がった暴動の後、メリーランド州ボルティモアの市庁舎前でおこなわれた集会での団結をうったえる運動（2015年）

その踏石は、すべての人が自由と正義のもと、わかち
がたく結びついた理想の世界へと踏みだすとき、足元を
たしかにささえてくれるでしょう。

ジョージ・フロイドの死を受けてロサンゼルスでおこなわれたデモで、ハグしあ
う参加者たち(2020年)

ルビーの一歩

差別主義への抗議活動は、アメリカ中で、さらには世界中でおこなわれています。変化をもたらそうとデモに参加したすべてのみなさんに、わたしは深い感銘を受けています。

　わたしにはよくわかっていますし、みなさんにもしっかりおぼえておいていただきたいことがあります。未来を動かすかもしれないできごとは、しばしば過去のできごとのなかにあるということです。

上：アラバマ州セルマから州都モンゴメリーまでの第1回抗議行進で、警官におそわれる公民権運動のリーダー、ジョン・ルイス（前列）（1965年）
下：ホワイトハウス前でおこなわれたブラック・ライブズ・マター運動のデモで、警官隊の最前列にひざまずき、両手をあげる参加者（2020年）

わたしの過去、わたしの物語も、みなさんを動かすきっかけになるかもしれません。変化にむけて一歩目を踏みだすのは、かんたんではありません。しかし、6歳だったルビー・ブリッジズは、わたしたちに教えてくれます。その一歩を、踏みださなければならないのだと。

ルビー・ブリッジズ(1960年)

こわがらないで。歴史のなかで、あなたの「とき」が
やってきたのです。目的から目をそらさないで。なにが
あっても、心をひとつに。

ロード・アイランド大学の卒業式でスピーチするルビー・ブリッジズ（2019年）

写真・イラストレーション　クレジット

本書の表紙絵はノーマン・ロックウェル画『私たちすべての問題』の一部を使用しています。この絵は、ルビーが学校へむかう歴史的な瞬間をとらえたもので、アメリカにおける公民権運動のシンボル的な作品とされています。雑誌「ルック」の1964年1月14日号に掲載されました。ロックウェルは前年、政治的なテーマへの制限に対する不満から、長年にわたった「サタデー・イブニング・ポスト」誌の仕事を辞めています。代わって「ルック」誌が公民権運動や人種差別など社会問題を扱うコーナーをロックウェルに提供しました。

謝辞

　わたしの子どもたち、そして25年にわたる活動のなかでわたしに思いを伝えてくれたすべての子どもたちに感謝をささげます。みなさんはわたしに真心を見せてくれました。

訳者あとがき

　本書の表紙は、アメリカを代表する人気画家ノーマン・ロックウェルが描いた作品『私たちすべての問題』の一部を使用しています。壁に落書きされた黒人に対する蔑称「NIGGER」や、血を思わせる投げつけられたトマトの赤いしぶきなど不穏な背景のなか、まっすぐ前をむいて歩くルビーの姿がとらえられています。

　『怒りの葡萄』『二十日鼠と人間』などで知られる作家ジョン・スタインベックも、旅行記『チャーリーとの旅』のなかで、たまたま目撃したルビーの登校のようすを描写しています。

　子鹿のようにおびえる真っ白な服を着た小さな女の子、浴びせかけられる残酷でときには卑猥ですらあるあざけりやののしりのことば……。スタインベックは吐き気をもよおすほど気分が悪くなったと記しています。

　9、17、23ページの写真からは、その雰囲気がおぞましいほど伝わってきます。とりわけ17ページの写真では、ただ学校にやってきただけの女の子に、肌が黒いから「死ね」と告げているのです。笑い声をあげながら。ごく普通の市民たちをここまで駆り立てるものとは何なのでしょう？　それは

わたしたちだれもの心の底にもひそんでいるのでしょうか？

　ルビーが踏みだした「一歩」もふくめ、先人たちがおこなってきた運動の大きな努力や犠牲のもと、人種差別は表面上ずいぶん改善されてきたかに見えます。アメリカでは2009年から2017年に、ついにはじめての黒人大統領としてバラク・オバマが就任するにいたりました（ちなみにオバマ大統領の在任中、『私たちすべての問題』の原画が一時期ホワイトハウス内に飾られていました）。

　それだけに、黒人のジョージ・フロイドが警官によって殺害された2020年の事件について、ルビーは深く心を痛めています。長い年月がたってもなお、かつてとおなじような事件がくりかえされるのを目の当たりにすることになったのですから。

　一方、この事件をきっかけに世界中でわきおこった「ブラック・ライブズ・マター」運動や、各地でふれあった子どもたちとの対話のなかに、ルビーは未来への希望も見出しています。

　差別のない社会の実現は、それほどかんたんなことではないのかもしれません。しかし、わたしたちもまた、ルビーのシンプルで力強いメッセージに耳をかたむけ、よりよい世界を目指して勇気をもって「一歩」を踏みだし、その道をもっと先まで歩んでいきたいものです。

　2023年12月　　　　　　　　　　　　　千葉茂樹

著者 ルビー・ブリッジズ

アメリカの公民権運動家。1954 年、アメリカ、ミシシッピ州に生まれる。同年、米連邦最高裁の下した「公教育の場における人種差別は違憲」という画期的な判決を受け、1960 年、6 歳のとき、ホワイトスクール（白人専用の学校）だったウィリアム・フランツ小学校（ルイジアナ州ニューオーリンズ）に、全米初の黒人生徒として入学。本書は高い評価を得た自伝『Through My Eyes』に続く、20 年ぶり 2 冊目の著書。

訳者 千葉茂樹

1959 年、北海道に生まれる。国際基督教大学卒業後、出版社勤務を経て翻訳家に。訳書に『彼の手は語りつぐ』『ブラックバードの歌』（以上あすなろ書房）、『ハックルベリー・フィンの冒険』（岩波書店）、『名探偵ホームズが生まれた日』（光村教育図書）、『ホッキョククジラのボウ』（小学館）など多数。

ルビーの一歩　私たちすべての問題

2024年1月30日　初版発行

著者　　ルビー・ブリッジズ
訳者　　千葉茂樹
装丁　　城所潤＋大谷浩介（JUN KIDOKORO DESIGN）
発行者　山浦真一
発行所　あすなろ書房
　　　　〒162-0041 東京都新宿区早稲田鶴巻町551-4
　　　　電話 03-3203-3350（代表）
印刷所　佐久印刷所
製本所　大村製本